Llyfrau eraill gan yr un awdur:

TRAFFERTH MAM
WY MAM!

Cymdeithas Lyfrau Ceredigion Gyf.
ABERYSTWYTH

Doctor Dan
Babette Cole
Addasiad Emily Huws

Dyma nhw'r Brechiaid.

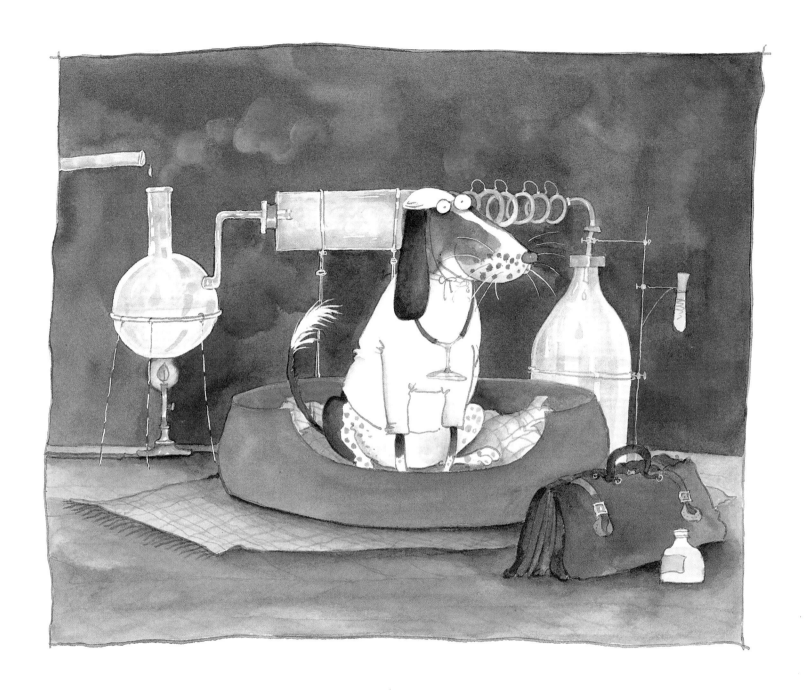

A dyma eu ci: Dan. Doctor ydi o.

Aeth Doctor Dan
i gynhadledd
ym Mrasil i siarad
am y mêr sydd mewn esgyrn.

Tra oedd o yno aeth Taid a'r plant yn sâl.

"Well i ni anfon amdano fo'n ôl," meddai Mam.

Felly anfonwyd teleneges i Frasil . . .

. . . a daeth Doctor Dan adref.

Roedd Jim Brech wedi bod yn smocio ar y slei
yn y sied. Roedd yn pesychu'n ddifrifol.
"Dydi smocio'n ddim lles o gwbl i neb,"
dwrdiodd Doctor Dan.

"Mae dau ddarn fel sbwng tu mewn inni: ysgyfaint —
ein peiriannau anadlu.

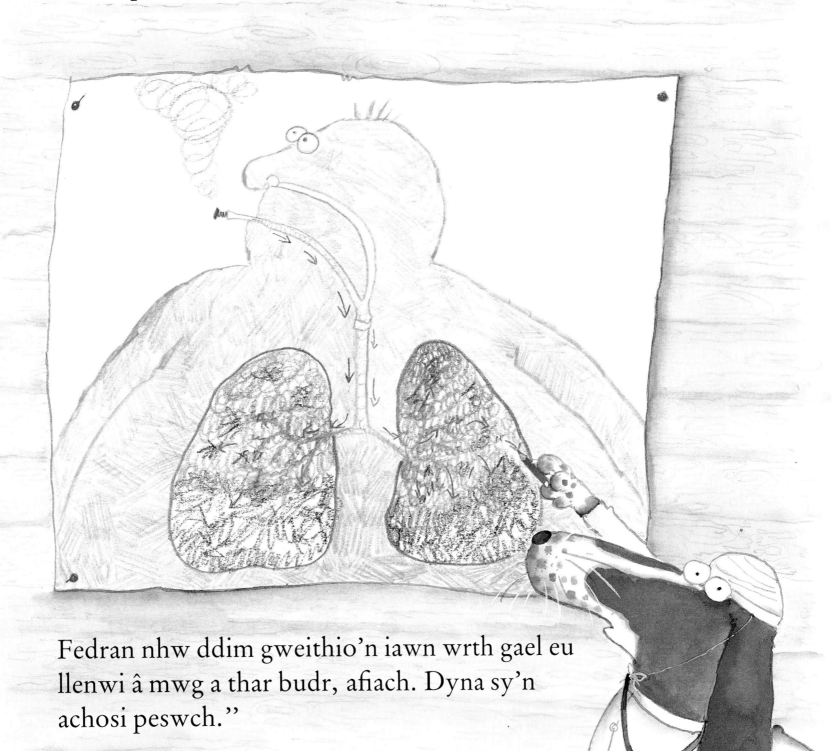

Fedran nhw ddim gweithio'n iawn wrth gael eu
llenwi â mwg a thar budr, afiach. Dyna sy'n
achosi peswch."

Aeth Lisa Brech allan i ganol y glaw heb
gap na chôt.

Cafodd annwyd trwm
a dolur gwddw.

Chwyddodd ei thonsils.

"Tonsilitis sydd arni hi," meddai Doctor Dan.

"Mae'n rhaid eu tynnu."

A dyna wnaeth o!

Roedd pen Jeff Brech yn cosi fel yr andros.

"Nedd sy 'na!" eglurodd Doctor Dan. "Wyau wedi eu dodwy gan 'rhen bryfed bach 'na — llau.

Edrychwch ar hwn! Mewn gwallt maen nhw'n byw!"

Jeff druan! Roedd yn rhaid iddo fynd i'r ysgol efo eli drewllyd i ladd y llau wedi ei blastro dros ei ben i gyd.

"Ddylai neb ffeirio brwsh na chrib rhywun arall BYTH!" siarsiodd Doctor Dan.

Ha Ha!

Ha!

Roedd Ben, y babi, wedi anghofio golchi'i ddwylo ar ôl bod yn y toiled. Yna sugnodd ei fawd.

A gadawodd i blant eraill stwffio'u bysedd i fyny'i drwyn.

Felly cafodd boen yn ei fol.

"Llyngyr," meddai Doctor Dan.
"Maen nhw'n magu tu mewn iddo."

''Tu mewn iti mae'r
llyngyr yn gwingo'u
ffordd i lawr at dy ben-ôl
ac yn dodwy wyau bach
coslyd yno.

Os wyt ti'n crafu
dy ben-ôl mae'r
wyau yn mynd dan
dy ewinedd.''

"Os wy ti'n sugno dy fawd,
mae'r wyau yn mynd yn ôl i
mewn i dy fol di ac mae 'na fwy
fyth o lyngyr yn deor!

Ar ôl crafu dy ben-ôl
mae sugno bawd yn beth FFÔL!"
rhybuddiodd Doctor Dan.

Teimlai Lena Brech yn chwil.

"Wedi bod yn chwarae troi-fel-top mae hi!" chwarddodd ei rhieni.

"Twt lol botes!" chwyrnodd Doctor Dan. "Pigyn yn ei chlust sydd ganddi siŵr iawn."

"Tu mewn i'n clustiau mae esgyrn bychain. Nhw sy'n cadw'n cydbwysedd. Gall pigyn effeithio ar y rhain a'n gwneud ni'n benysgafn."

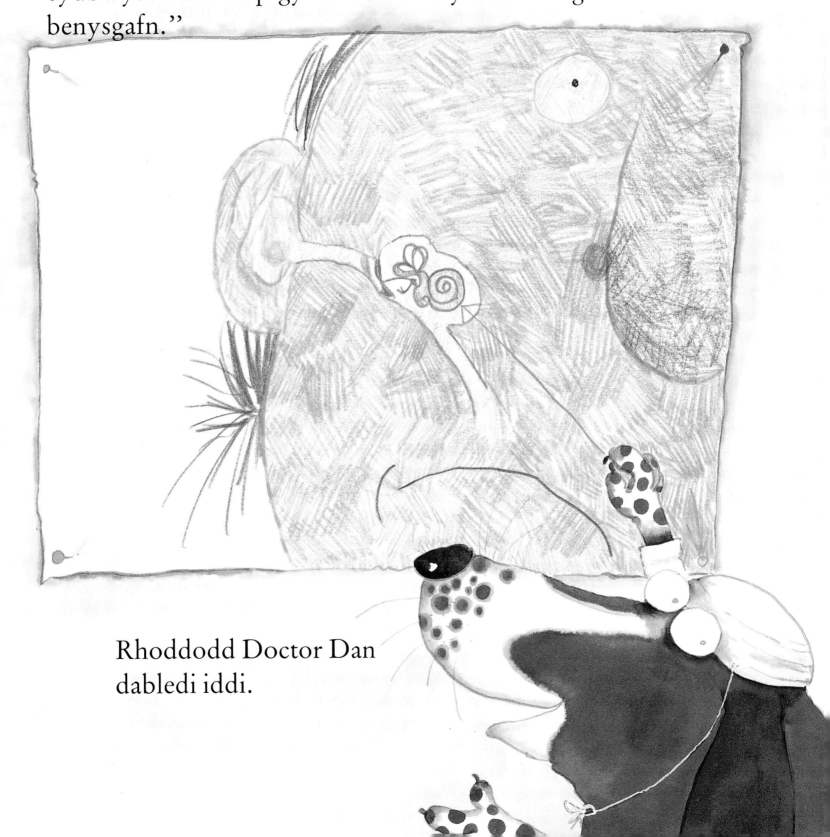

Rhoddodd Doctor Dan
dabledi iddi.

Bu Taid yn bwyta gormod o ffa ac yn yfed gormod
o gwrw.

Beth oedd yn bod arno?
"Gwynt!" eglurodd Doctor Dan.

"Edrychwch ar lun o'ch tu mewn.

Mae cwrw a ffa yn gwneud nwyon yn eich bol. A'r unig ffordd iddyn nhw ddianc yw ffrwydro allan drwy'ch pen-ôl!"

"Gwarthus!" dwrdiodd Doctor Dan Dad a Mam. "Mi fydd 'na ddamwain ddifrifol os nad edrychwch chi ar ôl eich teulu yn well na hyn."

"Dim ots!" chwarddodd y Brechiaid. "Mae gynnon ni ein doctor ein hunain — ti!"

Yn y cyfamser roedd nwyon peryglus Taid yn cynyddu ac . . .

. . . ac mi darodd rech mor anferthol . . .
nes chwythu'r to cyfan oddi ar y tŷ!

"Beth ddwedais i?" meddai Doctor Dan.

Trwsiwyd y to, ond erbyn i bawb wella, diolch iddo fo, teimlai Doctor Dan ei hun druan yn swp sâl.

"Rwyt ti angen gorffwys, Dan," meddai ei ddoctor wrtho. "Dos am wyliau yn ddigon pell i ffwrdd o'r teulu felltith 'na!"

"Gwell na photel o ffisig," meddai Doctor Dan.
"Chân' nhw byth hyd imi yn fan 'ma!"

"O! NA!" ochneidiodd Doctor Dan.

© Babette Cole 1994

Cyhoeddwyd gyntaf ym 1994 gan
Jonathan Cape Cyf., 20 Vauxhall Bridge Road, Llundain, SW1V 2SA
Teitl gwreiddiol: **Dr. Dog**

Argraffiad Cymraeg cyntaf: 1994
(h) y testun Cymraeg: Emily Huws 1994

Dymuna'r cyhoeddwyr gydnabod cymorth Adrannau'r Cyngor Llyfrau Cymraeg.

Cedwir pob hawl.

Cysodwyd gan Argraffwyr Cambrian, Aberystwyth.
Cyhoeddwyd gan Gymdeithas Lyfrau Ceredigion Gyf., Castell Brychan,
Aberystwyth, Dyfed, SY23 2JB.

Argraffwyd yn yr Eidal.
ISBN 0 948930 47 0

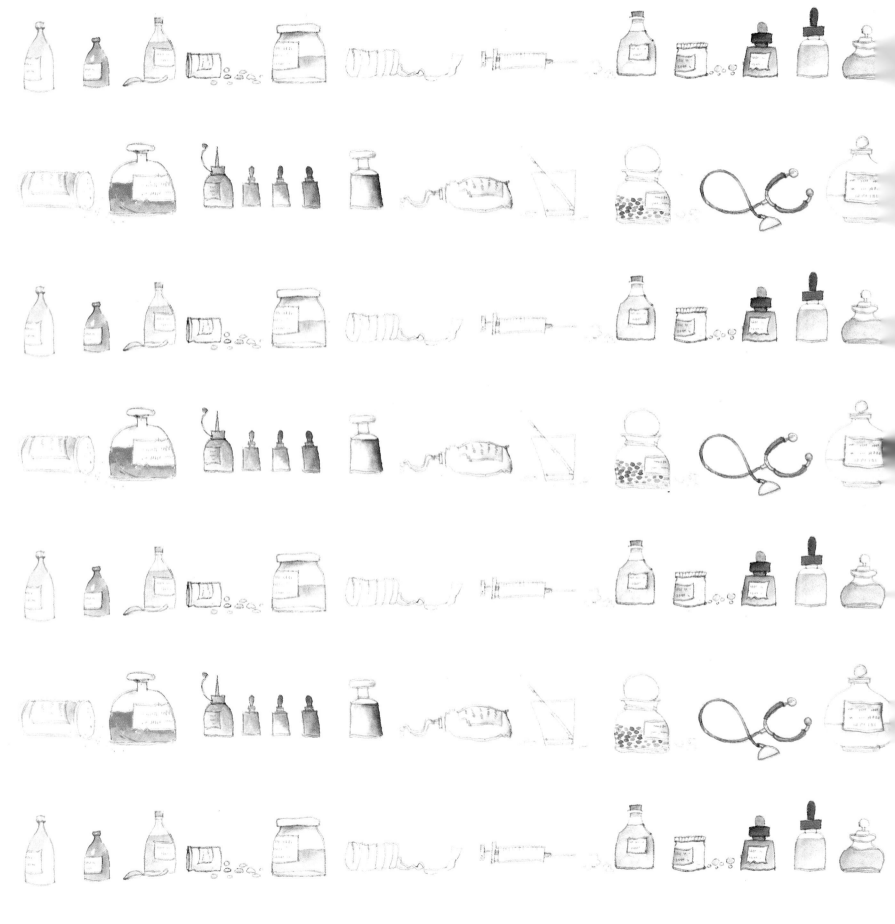